Sinderela

Addasiad Heather Amery
Lluniau gan Stephen Cartwright

Golygwyd gan Jenny Tyler

Trosiad gan Elin Meek

Mae hwyaden fach felen yn cuddio ar bob tudalen.
There's a little yellow duck to find on every page.

Mae Sinderela'n byw gyda'i Llysfam a'i dwy Lyschwaer hyll. Maen nhw o hyd yn gas wrthi. Dyna Sinderela'n edrych drwy'r ffenest.

Cinderella lives with her Stepmother and two ugly Stepsisters. They are always really horrible to her. That's Cinderella looking out of the window.

Rhaid i Sinderela weithio drwy'r dydd. Mae hi'n glanhau'r tŷ ac yn coginio'r bwyd. Mae hi'n gorfod gwisgo hen ddillad a chysgu mewn hen ystafell oer a diflas.

They make her work all day. She cleans the house and cooks the meals. She wears old clothes and sleeps in a cold, creepy room.

Mae pawb yn cael eu gwahodd i Ddawns Fawr yn y palas. Mae'r ddwy Lyschwaer wrth eu bodd. "Rhaid cael gwisgoedd newydd, i ni gael edrych yn wych," sgrechia'r ddwy.

They are all asked to a Grand Ball at the palace. The two Stepsisters are so excited. "We must have new dresses, and look our very best," they scream.

Mae'r diwrnod mawr yn cyrraedd. Mae'r ddwy Lyschwaer yn paratoi i fynd i'r Ddawns Fawr. "Ga' i ddod?" mae Sinderela'n gofyn. "NA CHEI, NA CHEI, WIR!" gwaedda'r ddwy.

The great day comes. The Stepsisters get ready for the Grand Ball. "May I come?" asks Cinderella. "NO, NO, NO," they shout.

Mae Sinderela'n eistedd yn y gegin ac yn crio. Yn sydyn mae hi'n gweld y Ddewines Dda. "Gwranda arna i ac fe gei di fynd i'r Ddawns," meddai'r Ddewines Dda.

Cinderella sits down in the kitchen and cries. Suddenly she sees her Fairy Godmother. "Do as I tell you and you shall go to the Ball," says Fairy Godmother.

Mae'r Ddewines Dda yn dweud wrth Sinderela am nôl pwmpen iddi, chwe llygoden wen, llygoden fawr frown mewn caets, a chwe madfall werdd.

The Fairy Godmother tells Cinderella to bring her a pumpkin, six white mice, a brown rat in a cage, and six green lizards.

Mae'r Ddewines Dda yn chwifio'i hudlath. Mewn chwinciad, coets yw'r bwmpen, ceffylau yw'r llygod, gyrrwr coets yw'r llygoden fawr a gweision yw'r madfallod.

Fairy Godmother waves her magic wand. In a flash, the pumpkin is a coach, the mice are horses, the rat is a coachman and the lizards are footmen.

Wedyn mae Sinderela'n cael gwisg ac esgidiau hyfryd. "I ffwrdd â ti i'r Ddawns," medd y Ddewines Dda. "Ond rhaid i ti adael cyn i'r cloc daro hanner nos."

Then Cinderella has a lovely dress and shoes. "Go to the Ball," says the Fairy Godmother. "But you must leave before the clock strikes midnight."

Mae Sinderela'n mynd i'r palas. Mae'r Tywysog yn cwrdd â hi wrth y drws. Mae pawb yn meddwl mai Tywysoges yw hi. Mae hi'n cael noson hyfryd yn dawnsio gyda'r Tywysog.

Cinderella goes to the palace. The Prince meets her at the door. Everyone thinks she's a Princess. She has a lovely evening dancing with the Prince.

Yna mae'r cloc yn taro deuddeg. "Hanner nos, rhaid i mi fynd!" llefodd Sinderela. Mae hi'n rhedeg yn gyflym i lawr grisiau'r palas. Mae un o'i hesgidiau'n cwympo oddi am ei throed.

Then the clock strikes twelve. "It's midnight, I must go," cries Cinderella. She runs down the palace stairs so fast one of her shoes falls off.

Mae Sinderela yn rhedeg yr holl ffordd adref. Mae hi'n eistedd yn y gegin yn ei hen ddillad. Wedyn mae'r ddwy Lyschwaer yn dod adref. Maen nhw'n sôn am y Dywysoges.

Cinderella runs all the way home. She sits in the kitchen in her old clothes. Then the Stepsisters come home. They tell Cinderella about the Princess.

Y diwrnod canlynol, mae'r Tywysog yn anhapus iawn. Mae e eisiau dod o hyd i'r Dywysoges. Mae e wedi dod o hyd i'w hesgid. "Byddaf yn priodi'r ferch sy'n gallu gwisgo'r esgid hon," medd y Tywysog.

Next day, the Prince is very unhappy. He wants to find the Princess. He has found her shoe. "I'll marry the girl who can wear this shoe," he says.

Mae'r ddwy Lyschwaer yn ceisio gwisgo'r esgid. Maen nhw'n gwthio a thynnu. Maen nhw'n gweiddi a chrio. Mae'r esgid yn llawer rhy fach i'w hen draed mawr, hyll nhw.

The Stepsisters try on the shoe. They push and pull. They scream and cry. The shoe is much too small for their big, ugly feet.

"Ga' i wisgo'r esgid?" medd Sinderela. Wrth gwrs, mae'r esgid yn ffitio'n berffaith. Yn sydyn mae'r Ddewines Dda yn ymddangos ac yn rhoi gwisg hyfryd amdani.

"May I try?" says Cinderella. Of course, the shoe fits perfectly. Suddenly Fairy Godmother appears and changes her clothes into a lovely dress.

“Dw i wedi dod o hyd i ti,” medd y Tywysog. “Wnei di fy mhriodi i?” “Gwnaf, wrth gwrs,” medd Sinderela. Maen nhw’n byw yn y palas yn hapus iawn gyda’i gilydd.

“I have found you,” says the Prince. “Will you marry me?” “Yes, please.” Cinderella says. They live in the palace, and are always very happy.

Cyhoeddwyd gyntaf yn Saesneg gan Usborne Publishing Ltd. dan y teitl *Cinderella.*
Cyhoeddwyd gan Wasg y Dref Wen Cyf., 28 Ffordd yr Eglwys, Yr Eglwys Newydd, Caerdydd CF14 2EA Ffôn 029 20617860. Adargraffwyd 2018.
Mae’r cyhoeddwr yn cydnabod cefnogaeth ariannol Cyngor Llyfrau Cymru. Argraffwyd yn China.